PUMP PRYSUR

MAE GWALLT JO YN RHY HIR

D0273888

PUMP PRYSUR

Twm   Ani   Dic   Siôn   Jo

Y fersiwn Saesneg

Hawlfraint y testun © Enid Blyton, 1955

Hawlfraint yr arlunwaith © Jamie Littler, 2014

Mae llofnod Enid Blyton yn nod masnach sydd wedi'i gofrestru gan Hodder & Stoughton Cyf

Cyhoeddwyd y testun gyntaf ym Mhrydain Fawr yn nhrydydd rhifyn Cylchgrawn Blynyddol Enid Blyton –Rhif 2, yn 1955. Mae hefyd ar gael yn *The Famous Five Short Stories* sydd wedi'u cyhoeddi gan Lyfrau Plant Hodder. Wedi'i gyhoeddi gyntaf yn yr argraffiad hwn ym Mhrydain Fawr gan Lyfrau Plant Hodder yn 2014.

Mae hawliau Enid Blyton a Jamie Littler wedi'u cydnabod fel Awdur a Dylunydd y gwaith hwn. Mae eu hawliau wedi'u datgan dan Ddeddf Hawlfreintiau, Dyluniadau a Phatentau 1988.

Mae *Hodder Children's Books* yn rhan o *Hachette Children's Books.*

Hachette UK Limited, 338 Euston Road, Llundain NW1 3BH

www.hachette.co.uk

Y fersiwn Cymraeg

Y cyhoeddiad Cymraeg © Atebol Cyfyngedig, Adeiladau'r Fagwyr, Llanfihangel Genau'r Glyn, Aberystwyth, Ceredigion SY24 5AQ

Cyhoeddwyd gan Atebol Cyfyngedig yn 2015

Addaswyd i'r Gymraeg gan Manon Steffan Ros

Dyluniwyd gan Owain Hammonds

Golygwyd gan Adran Olygyddol Cyngor Llyfrau Cymru

Cyhoeddwyd gyda chymorth ariannol Cyngor Llyfrau Cymru

Cedwir y cyfan o'r hawliau. Ni chaniateir atgynhyrchu unrhyw ran o'r cyhoeddiad hwn na'i throsglwyddo ar unrhyw ffurf neu drwy unrhyw fodd, electronig neu fecanyddol, gan gynnwys llungopïo, recordio neu drwy gyfrwng unrhyw system storio ac adfer, heb ganiatâd ysgrifenedig y cyhoeddwr.

www.atebol.com

NEATH PORT TALBOT LIBRARIES

CLYF
DATE 14/1/15
LOC. PON
No 2000635605

Enid Blyton

PUMP PRYSUR

MAE GWALLT JO YN RHY HIR

NEATH PORT TALBOT LIBRARIES

Addasiad Cymraeg gan **Manon Steffan Ros**
Arlunwaith gan **Jamie Littler**

@ebol

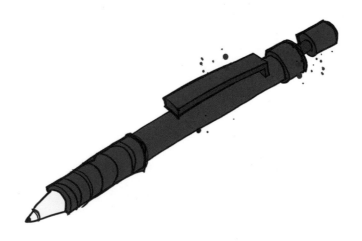

Cynnwys

Pennod 1	7
Pennod 2	13
Pennod 3	23
Pennod 4	33
Pennod 5	43
Pennod 6	55
Pennod 7	63
Pennod 8	77

PENNOD UN

'Beth am fynd i draeth **Cil-y-gwynt?**'
meddai Siôn un diwrnod braf ym mis Awst.
'**Mae hi mor boeth ym mhentref Curig** – bydd
traeth Cil-y-gwynt yn oer, braf. Mae 'na awel
hyfryd yno bob amser.'

'Iawn,' cytunodd Dic. 'Beth amdanat ti, Jo?'

'Wel, ro'n i am fynd i gael trin **fy ngwallt,**' meddai Jo. '**Mi fydd o mor hir â gwallt Ani os nad ydw i'n ei dorri cyn hir.**'

'Dos i gael ei dorri o, 'ta,' meddai Dic. 'Ti'n cwyno amdano fo o hyd. Does dim ots ydi dy wallt yn hir neu'n fyr!'

'Mae ots gan Jo,' meddai Siôn â gwên lydan. '**Bydd pobol yn meddwl mai merch ydi hi os bydd o'n tyfu hanner modfedd yn hirach!** Wel, Jo, dos i gael trin dy wallt **pnawn 'ma.** Rydan ni'n **pasio'r siop** ar y ffordd i Gil-y-gwynt – mi gawn ni **hufen iâ** wrth i ni aros amdanat ti.'

I ffwrdd â nhw am ddau o'r gloch. Roedd y lôn i'r pentref yn hir a llychlyd, a gwibiai Twm â'i dafod yn hongian o'i geg, bron at y llawr!

'Twm, druan. Mi gei ditha' hufen iâ hefyd,' meddai Dic, gan roi mwythau iddo.

PENNOD DAU

Cyrhaeddodd y Pump bentref Curig, ac aeth
Jo i'r **siop trin gwallt** tra oedd Twm a'r lleill yn
prynu **hufen iâ hyfryd**, hufennog. Gwaeddodd
Jo, a throdd y gweddill ati.

'Mae'r siop ar gau!'
bloeddiodd. 'Ro'n i wedi anghofio'u bod nhw'n cau'n gynnar heddiw. **Fedra i ddim cael torri 'ngwallt!'**

'Paid â phoeni. Tyrd i gael hufen iâ,' gwaeddodd Siôn yn ôl.

Ond roedd Jo yn benderfynol. **'Na. Dwi isio cael torri 'ngwallt, hyd yn oed os bydd raid i mi ei wneud o fy hun! Oes gan rywun siswrn?'**

'**Nag oes, siŵr!** Pwy fyddai'n cario siswrn efo nhw? Paid â bod mor wirion!' meddai Dic. 'Tyrd efo ni a **rho'r gorau i boeni am dy wallt.'**

'Mi a' i i **fenthyg siswrn** o **siop Mr Huws,**' gwaeddodd Jo. 'Mae honno ar gau, hefyd, ond mae Mr Huws yn siŵr o 'ngadael i mewn drwy'r **drws ochr**. Ewch chi a Twm i gael hufen iâ. Dydw i ddim isio un. **Mi wna i gwrdd â chi wedyn.**'

16

'Mae Jo yn wirion bost,' meddai Dic wrth y lleill. 'Os ydi hi'n rhoi ei bryd ar wneud rhywbeth, mae'n rhaid iddi ei wneud o, hyd yn oed os nad ydi o'n bwysig.'

I ffwrdd â nhw i nôl **hufen iâ.** Aeth Jo at y siop a churo ar y **drws ochr.**

Agorodd **Mr Huws** y drws. 'Wel, Jo, be' sy?' holodd. 'Mae'r siop ar gau, a dwi ar fin **dal y bws** i weld fy mab, **fel bydda i'n ei wneud bob wythnos.'**

'Wna i ddim o'ch cadw chi,' meddai Jo. 'Eisiau **benthyg siswrn miniog** ydw i, Mr Huws. **Dim ond am funud neu ddau.** Dydi'r bws ddim yn gadael am **ddeng munud** arall – **mae 'na ddigon o amser.'**

'Welais i 'rioed neb tebyg i ti am gael dy ffordd dy hun!' meddai'r hen ddyn. 'Tyrd i mewn – mi ddangosa i'r drôr lle bydda i'n cadw'r siswrn. **Ond paid â bod yn hir – rhaid i mi ddal y bws!'**

PENNOD TRI

Aeth yr hen ddyn â Jo at ddrôr yng **nghefn y siop.** Roedd o wrthi'n agor honno pan stopiodd **fan fach** y **tu allan i'r siop**.

Dringodd **dau ddyn** allan o'r fan. Edrychodd Jo i fyny – a **neidio!** Roedd **un o'r dynion** yn **sbecian** drwy'r **blwch llythyrau** yn **nrws y siop.** Am beth **rhyfedd i'w wneud!**

Gwelodd Jo **lygaid y dyn** yn glir wrth iddo **syllu drwy'r blwch llythyrau.** Tynnodd ar fraich Mr Huws a sibrwd, 'Ydach chi'n gweld y dyn yn craffu drwy'r blwch llythyrau? **Be' mae o isio?** Dwi ddim yn meddwl ei fod o wedi'n gweld ni – rydan ni mewn cornel dywyll.'

Yr eiliad honno, **gwthiwyd** y **drws ar agor** a rhuthrodd **dau ddyn** i mewn i'r **siop**. Welon nhw ddim o Mr Huws a Jo, a brysiodd y dynion tuag at y **bocs pres du**

yng nghefn y siop. Gwaeddodd Mr Huws yn ddig.

'Hei! Be' dach chi'n feddwl dach chi'n ei wneud, yn torri i mewn i fa'ma? Mi wna i ...'

Ond llamodd un o'r dynion tuag at yr hen ddyn a rhoi **ei law** dros ei **geg**. Rhedodd y dyn arall at Jo a'i **gwthio** i mewn i **gwpwrdd bach** gerllaw.

Gwthiwyd Mr Huws i'r cwpwrdd hefyd,
caewyd y drws a'i **gloi.**

Er i Jo a Mr Huws **weiddi'n uchel,** roedd y stryd yn wag ar y prynhawn poeth hwnnw, a neb yno i'w helpu.

Clywodd Jo sŵn tuchan wrth i'r **dynion gario'r bocs pres mawr, trwm.** Yna, **caewyd drws y siop,** a chlywodd y ddau sŵn injan yn tanio, a'r fan yn **gyrru i'r pellter!**

PENNOD PEDWAR

'**Bechod nad ydi Twm yma,**' meddyliodd Jo
yn flin wrth iddi wthio'n galed yn erbyn y
drws. 'Pam wnes i ei anfon o efo'r lleill i gael
hufen iâ?'

Roedd Mr Huws **bron â llewygu** mewn **braw**, felly doedd o ddim yn gallu ei helpu. Ar ôl ychydig, rhoddodd Jo'r gorau i wthio. Dyna drueni fod y cwpwrdd yn llawn sosbannau a brwsys, a fawr ddim lle iddi hi a'r hen siopwr!

Meddyliodd Jo tybed beth oedd y lleill yn ei wneud. A fydden nhw'n dod i edrych amdani? A ddylai hi ddechrau gweiddi eto?

Ond, erbyn hyn, roedd y pedwar wedi bwyta eu hufen iâ ac yn cerdded i draeth Cil-y-gwynt. Wedi'r cyfan, roedd Jo wedi dweud nad oedd eisiau hufen iâ arni. Aeth y gweddill yn eu blaenau, yn siŵr y byddai Jo'n cyrraedd cyn bo hir.

Felly, i ffwrdd â nhw ar hyd y ffordd i **Gil-y-gwynt,** a Twm fymryn yn arafach na'r lleill wrth iddo ddisgwyl am **ei annwyl Jo.**
Lle yn y byd oedd hi?

Penderfynodd Twm **fynd i edrych amdani.** Roedd o'n poeni, er nad oedd o'n deall pam. Trodd a mynd yn ei ôl tua'r pentref.

'Dyna Twm yn mynd,' chwarddodd Ani. 'Fedr o ddim dioddef bod heb Jo am fwy na hanner awr. **Hwyl, Twm! Dwed wrth Jo am frysio!'**

Aeth y criw yn eu blaenau heb Twm, gan gerdded yn un llinell ar hyd y lôn gul.

Yn sydyn, daeth fan ar wib rownd y gornel tuag atyn nhw. **Cael a chael fu hi i Dic lusgo Ani i'r clawdd mewn pryd.** Ymlaen â'r fan, gan yrru'n **igam-ogam** a **chanu'r corn** yn swnllyd wrth fynd rownd y gornel nesaf.

'Be' maen nhw'n drio'i wneud?' gwaeddodd Dic yn gandryll. 'Gyrru'n wyllt ar lôn gul, droellog, wir!'

Diflannodd y fan rownd y gornel – a'r eiliad nesaf daeth **sŵn mawr** a **sgrechian** brêcs. Yna, tawelwch.

PENNOD
PUMP

'**Ew!** Roedd hynna'n swnio fel teiar yn **byrstio**,' meddai Siôn gan redeg. 'Gobeithio nad ydyn nhw wedi cael **damwain.**'

Brysiodd y tri rownd y gornel a gweld bod
y fan bron yn y ffos. Roedd un o'r teiars ôl wedi
chwalu'n rhacs! Syllai **dau ddyn**
ar y teiar **yn flin.**

'**Hei, ti!**' gwaeddodd un o'r dynion, gan droi at Dic. 'Rhed i'r **garej agosa,** wnei di, a gofyn i rywun ddod i'n **helpu ni.**'

'Na wna i, wir!' atebodd Dic.
'Bron iawn i chi daro fy chwaer efo'r
fan. Mi gewch chi fynd i'r garej eich hunain.
Nid fel 'na mae gyrru ar lôn gul.'

Ond ni symudodd y dynion.
Gwgodd y ddau ar ei gilydd, a syllodd y
plant arnyn nhw'n flin.

'Ewch o 'ma!' meddai un o'r
dynion. **'Ydach chi'n gwybod sut i newid
olwyn?'**

'Ydan,' atebodd Siôn, gan eistedd ar
y gwair ar ochr y lôn. **'Ydach chi ddim 'ta?**
Mi faswn i'n meddwl y byddai hynny'n **un
o'r pethau pwysicaf i'w ddysgu,** a
chithau'n gyrru fan!'

'Cau dy geg,' chwyrnodd y dyn
arall. **'Dos o 'ma.'**

'**Pam?**' gofynnodd Dic, gan eistedd wrth
ymyl Siôn. '**Ydach chi eisiau cael gwared
arnon ni?** Ydach chi'n teimlo'n nerfus o gael
arbenigwyr fel ni yn eich gwylio chi'n newid
olwyn?'

Teimlai Ani yn annifyr. 'Mi a' i i gyfarfod
Jo,' meddai, a cherdded heibio'r fan. Cymerodd

gip y tu mewn iddi – **a gweld y bocs pres du yno!**
Bocs pres! Edrychodd Ani ar y dynion.
Roedd golwg gas arnyn nhw.

Aeth Ani draw at Siôn ac eistedd wrth ei ymyl. Torrodd frigyn a dechrau gwneud siapiau yn y llwch ar y llawr, gan bwnio Siôn yn ysgafn.

Edrychodd Siôn ar y llawr.

'Bocs pres
– Yn y fan,'

meddai'r ysgrifen, a chyn gynted ag y gwelodd Ani fod yr hogiau wedi darllen y geiriau, **chwalodd y llwch** â'i throed.

Syllodd y tri ar y dynion, oedd erbyn hyn yn ceisio newid yr olwyn. Roedd hi'n amlwg **nad oedd yr un ohonyn nhw wedi gwneud** hyn o'r blaen! Pan gododd Ani i fynd i gyfarfod Jo, cydiodd Siôn yn ei braich.

'Na. Aros efo ni,' meddai. 'Efallai fod Jo wedi newid ei meddwl ac wedi mynd adref.'

Felly arhosodd Ani, gan obeithio y byddai Jo a Twm yn cyrraedd cyn bo hir. **Pam roedden nhw'n cymryd mor hir?** Mae'n rhaid bod Jo wedi **mynd adref, wedi'r cyfan!** Beth oedd Siôn yn mynd i'w wneud? Stopio'r car nesaf oedd yn pasio a dweud wrth y gyrrwr am y dynion a'r fan? Credai Ani fod yr holl beth yn **od iawn!** Roedd hi'n sicr fod y bocs pres a'r fan wedi'u dwyn.

Ble yn y byd roedd Jo? Roedd hi wedi cael hen ddigon o amser i dorri ei gwallt a **chwrdd â'r criw!**

PENNOD CHWECH

Roedd Jo, druan, yn dal yn sownd yn y cwpwrdd ac yn brifo drosti. Roedd Mr Huws wedi llewygu, ond fedrai Jo ddim ei helpu. Yna clywodd **sŵn cyfarwydd** a **chysurlon iawn** – sŵn traed yn rhedeg ac yna sŵn nadu.

Twm!

Crafodd Twm ddrws y cwpwrdd, gan gyfarth mor wyllt nes iddo dynnu sylw dyn ar y stryd. Mewn syndod, agorodd hwnnw ddrws y siop, a sbecian i mewn. **Gwelodd y dyn Twm ar unwaith, a rhedodd y ci yn ôl ac ymlaen o flaen y cwpwrdd**, gan gyfarth yn wyllt.

'Oes rhywun yma?' holodd y dyn.

'Oes, oes! 'Dan ni'n sownd yn y cwpwrdd!' gwaeddodd Jo. **'Wnewch chi'n helpu ni, plis?'**

Ymhen eiliad, roedd y dyn wedi brysio i ben arall y siop ac **wedi datgloi drws y cwpwrdd.**

Daeth Jo allan o'r cwpwrdd yn sigledig, a neidiodd Twm arni gan ei **llyfu o'i chorun** i'w sawdl. **Llusgwyd Mr Huws allan,** ond roedd o wedi cael y fath fraw fel na fedrai o ddweud rhyw lawer.

'**Heddlu!**' meddai drosodd a throsodd. **'Heddlu!'**

'Mi ffonia i'r **heddlu – a'r meddyg hefyd,**' meddai'r dyn. 'Eisteddwch yn y gadair, Mr Huws. **Edrycha' i ar eich ôl chi.'**

Aeth Jo allan o'r siop. Teimlai'n benysgafn ar ôl bod dan glo yn y cwpwrdd.

Roedd yn rhaid iddi **frysio** at y lleill er mwyn dweud wrthyn nhw beth oedd wedi digwydd, a dod â phawb **yn ôl** i'r siop. Fydden nhw **ddim yn mynd i'r traeth y pnawn hwnnw** wedi'r cyfan!

PENNOD SAITH

Brysiodd Jo a Twm ar hyd y lôn fach lychlyd i
Gil-y-gwynt. Ble roedd y lleill? Efallai eu bod
nhw wedi cyrraedd yno erbyn hyn!

Ond doedden nhw ddim. Eisteddai'r criw ar ochr y lôn, yn gwylio dau ddyn chwyslyd a blin yn trio rhoi **olwyn newydd** ar y fan, ar ôl treulio hydoedd yn tynnu'r llall.

Doedd dim digon o offer ganddyn nhw,
sylwodd Siôn. Biti nad oedd Jo yma. Byddai
Twm yn gymaint o help!

O'r diwedd, cyrhaeddodd Jo ar **frys, a Twm wrth ei sodlau.** Roedd hi'n welw braidd, ac yn ysu am gael dweud ei hanes.

'Wnewch chi byth goelio be' ddigwyddodd! **Cafodd Mr Huws a minnau ein cloi mewn cwpwrdd** yn y siop gan **ddau leidr ...'**

Yn sydyn, cafodd Jo gip ar y **ddau ddyn wrth y fan,** ac aeth hi'n dawel.

Pwyntiodd atyn nhw, gan weiddi,
**'Dyna nhw – a dyna'r fan!
Oes 'na focs pres ynddi hi?'**
'Oes,' atebodd Siôn, gan godi ar ei draed, **'yn y cefn! Wyt ti'n siŵr mai dyma'r dynion ddaeth i'r siop, Jo?'**
'Bobol bach, ydw! Wna i ddim eu hanghofio nhw tra bydda i byw!' meddai Jo. **'Twm – gwylia nhw! Gwylia nhw, Twm!'**

Llamodd Twm draw at y dynion, gan ddangos ei **ddannedd miniog** a chwyrnu mor flin nes bod y **dynion yn cilio mewn braw.** Cododd un ei law, yn barod i daro Twm.

'Os gwnewch chi ei daro, bydd o'n eich llusgo chi i'r llawr yn syth,' rhybuddiodd Jo yn flin. Safodd y dyn yn stond. **'Be'** wnawn ni, **Siôn? Rhaid mynd â'r dynion yma i orsaf yr heddlu.'**

'Gwrandewch
– mae 'na gar yn
dod,' meddai Dic. 'Mi
wnawn ni ei **stopio,** ac **anfon neges** i
bentref Curig.'

Daeth car mawr rownd y gornel o
gyfeiriad Cil-y-gwynt, a **chwifiodd Siôn** arno er
mwyn ei stopio. Roedd dau ddyn yn y car.

'Be' sy'n bod?' gofynnodd y dynion.

Adroddodd Siôn yr hanes mor gyflym ag y gallai.

Neidiodd un o'r dynion allan o'r car yn syth. '**Mae angen yr heddlu ar unwaith,**' meddai. '**Mi wnawn ni osod yr olwyn ar y fan, a mynd â'r dynion i bentref Curig.** Mi wneith fy ffrind yrru'r fan, a dylai'r hogyn a'i gi fynd efo nhw! Pawb arall i 'nghar i, ac mi **ddilynwn ni'r fan** i'r pentref a nôl yr **heddlu!**'

Roedd hwn yn swnio'n gynllun call iawn.

Rhoddwyd yr olwyn ar y fan mewn dim o dro, a'r lladron yn y cefn, gyda **Twm yn ysgyrnygu** arnyn nhw. Eisteddodd **Jo (oedd ar ben ei digon am ei bod hi wedi'i chamgymryd am hogyn!)** yn sedd flaen y fan gyda'r dyn o'r car arall.

Aeth y fan ar ei thaith, a'r car yn ei dilyn. **Gwenodd y plant bob cam i'r pentref!**

PENNOD WYTH

Bu **cyffro mawr** ym **mhentref Curig** ar
ôl i bawb gyrraedd. Roedd yr heddlu wrth eu
boddau o gael y **ddau leidr, y fan** a'r **bocs pres**
yn ddiogel yn eu gofal.

Roedd Mr Huws yn **ddiolchgar dros ben.** Er bod Twm fymryn yn siomedig na chafodd **frathu** 'run o'r lladron, roedd o'n **falch** iddo **achub ei annwyl Jo!**

'**Am antur!**' meddai mam Jo pan gyrhaeddon nhw adref ac adrodd yr hanes. '**Wnaethoch chi ddim cyrraedd traeth Cil-y-gwynt wedi'r cyfan. Wel, mi gewch chi fynd fory.**'

'**Fedra i ddim,**' meddai Jo ar unwaith.

'**PAM?**' gofynnodd pawb mewn syndod.

'**Mae'n rhaid i mi gael torri 'ngwallt!**' atebodd.

Gobeithio eich bod wedi
mwynhau'r stori fer yma.

Os ydych chi am ddarllen mwy am
helyntion y PUMP PRYSUR yna
ewch i atebol.com am fwy o
wybodaeth am y teitlau diweddaraf.